Michael Fromm

Didaktischer Kommentar für Lehrende

HELBLING

Innsbruck • Esslingen • Bern-Belp

AF628693

Michael Fromm ist Musiklehrer an der Pestalozzischule Landau, Fachleiter am Studienseminar Rohrbach und Dozent an der Popakademie Baden-Württemberg. Mit dem von ihm herausgegebenen Musikklassenkonzept mit Bandinstrumenten „1st Class Rock" ist er Fortbildungsdozent bei „Let's make Music e.V.", einer Initiative zur Förderung des aktiven Musizierens an Schulen.
Michael Fromm veröffentlichte weitere Publikationen, Aufsätze sowie Fachartikel und ist an verschiedenen Internetprojekten beteiligt.

Impressum
Layout, Satz und Gestaltung: Gernot Reisigl
Illustration: Irene Brischnik, Weiz
Notensatz: Silke Wittenberg, Bautzen
Redaktion: Linda Meiselbach
Druck: HELBLING, Rum
Helbling Verlagsgesellschaft m.b.H.
A-6063 Rum, Kaplanstraße 9
produktsicherheit@helbling.com

S8384
ISBN 978-3-99035-814-6
ISMN 979-0-50239-894-1

1. Auflage A1[3] / 2026

© 2017 HELBLING Innsbruck / Rum
Alle Rechte vorbehalten

Das Werk einschließlich aller Inhalte ist ganz und in Auszügen urheberrechtlich geschützt. Kein Teil des Werkes darf in irgendeiner Form (Druck, Fotokopie oder anderes Verfahren) ohne ausdrückliche schriftliche Genehmigung des Verlags nachgedruckt oder reproduziert werden und/oder unter Verwendung elektronischer Systeme jeglicher Art gespeichert, verarbeitet, vervielfältigt und/oder verbreitet bzw. der Öffentlichkeit zuganglich gemacht werden. Alle Übersetzungsrechte sowie die Nutzung für Text- und Datamining vorbehalten.

Inhaltsverzeichnis

Einleitung

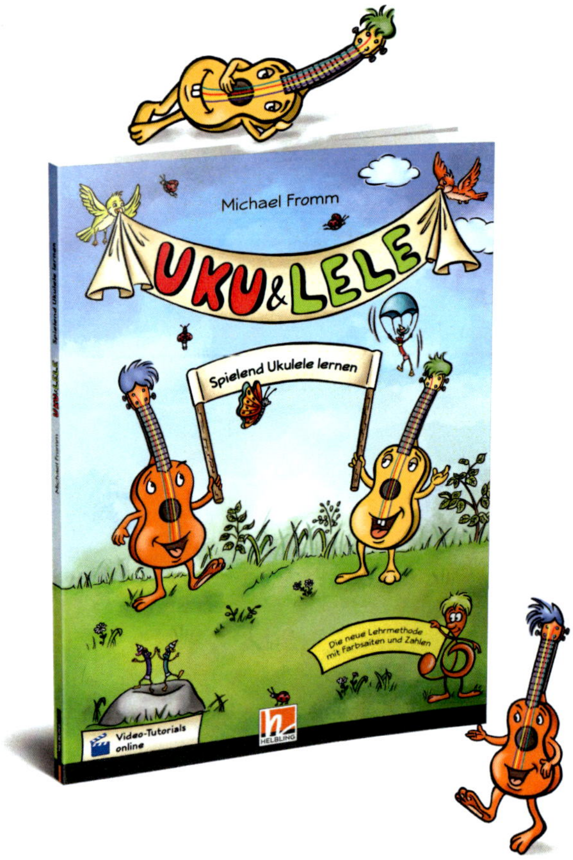

Der vorliegende didaktische Kommentar zum Schülerbuch *UKU&LELE – Spielend Ukulele lernen* bietet zusätzliche Informationen und wertvolle didaktische Hinweise zum erfolgreichen Aufbau einer Musikklasse und richtet sich an all jene, die das Spiel auf der Ukulele gewinnbringend vermitteln möchten. Neben allgemeinen Tipps zur Organisation und Überlegungen zu Aufbau und Inhalt des Schülerbuches finden sich zahlreiche Ideen und praktische Tipps zur Umsetzung der Ukulelenklasse. Am Ende des didaktischen Kommentars (ab Seite 12) sind eine Liste über die Kapitel und Inhalte des Schülerbuches und die Griffbilder aller darin vorkommenden Akkorde und Töne als Kopiervorlage abgedruckt.

Musikklassen stellen in gewisser Weise ein Pendant zum Klassenmusizieren dar. Bei letzterem wird auf vielfältigem, wechselndem und in der Schule bereits vorhandenem Instrumentarium gespielt. Dabei ist das Musizieren nicht selten in vereinfachter und rudimentärer Weise im Musikunterricht platziert.

Die Musikklasse unterscheidet sich hiervon deutlich: Musikunterricht in Musikklassen findet auf einem ensemblespezifischen Instrument in Verbindung mit einem grundlegenden Lehrgang, also prozessorientiert und somit zentriert im Musikunterricht statt. Die Ukulelenklasse belegt hier insofern eine Ausnahmestellung als es sich um ein *offenes*, *variables* und auf die Gegebenheiten vor Ort *anpassbares* Konzept handelt.

Für Kinderhände prädestiniert hat die Ukulele einen weiteren entscheidenden Vorteil: Sie kann sowohl zur einfachen Liedbegleitung als auch zum Spiel im großen Ensemble eingesetzt werden. Somit bedeutet Musizieren mit der Ukulele im Klassenverband mehr als additives Klassenmusizieren, denn die Schüler lernen einerseits ein Melodie-, andererseits auch ein Harmonieinstrument.

Der Lehrgang lässt sich sowohl mit Leihinstrumenten als auch mit einem in der Schule befindlichen Instrumentarium gestalten. Die Lektionen können als zentraler Bestandteil den Musikunterricht formen, aber auch periodisch ergänzend in bewährte Unterrichtsstrukturen integriert werden. Selbst im AG- oder Nachmittagsbereich kann das Konzept von UKU&LELE gewinnbringend eingesetzt werden. Im zeitlichen Rahmen ist die Ukulelenklasse flexibel, da bewusst auf jahreszeitliche bzw. kirchenjahrspezifische Elemente verzichtet wurde, um einen am Kind (und nicht am Kalender) orientierten Musikalisierungsprozess zu initiieren.

Die didaktische Konzeption von UKU&LELE zielt auf einen Musikunterricht mit Anbahnung von Kompetenzen im harmonischen, rhythmischen und melodischen Bereich. Dabei werden – ausgehend von Kodálys Ansatz – die wesentlichen Elemente der Rhythmussprache von Anfang an integriert und mit Aspekten eines zeitgemäßen, geöffneten und auf individualisiertes Lernen zielenden Grundschulunterrichts verknüpft.

> *Die didaktische Konzeption von UKU&LELE zielt auf einen Musikunterricht mit Anbahnung von Kompetenzen im harmonischen, rhythmischen und melodischen Bereich.*

Für eine erhöhte Leserfreundlichkeit wurde auf die explizite Nennung der weiblichen Form verzichtet. Wenn von Schülern, Lehrern etc. die Rede ist, schließt das selbstverständlich auch Schülerinnen und Lehrerinnen etc. mit ein.

Organisation und Handhabung

Lagerung

Ob und wie die Instrumente gelagert werden (müssen), hängt von der Entscheidung ab, ob man mit Präsenzinstrumentarium, also mit Ukulelen, die in der Schule bleiben, oder mit Mietinstrumenten arbeitet. Bei der Entscheidung für Mietinstrumente ist es empfehlenswert, entsprechend gut gepolsterte „Gigbags" anzuschaffen, da Schüler beim Transport erfahrungsgemäß nicht zimperlich mit der Ukulele umgehen. Sollen die Instrumente in der Schule bleiben, ist es ratsam, sich rechtzeitig Gedanken über die Lagerung zu machen.
Spezielle Wandhalterungen gibt es preiswert zu kaufen. Aus Dachlatten und Rundhölzern lassen sich einfache und günstige Wandhalterungen aber auch selbst basteln. Dazu werden ca. 1 cm dicke Löcher in die Dachlatte gebohrt. Zwischen dem ersten und dem zweiten Loch beträgt der Abstand die Breite des Halses, zwischen dem zweiten und dritten beträgt er die Korpusbreite (breitestes Maß) plus 3 cm, zwischen dem dritten und vierten Loch die Breite des Halses usw. Anschließend werden Rundhölzer von 1 cm Breite und ca. 10 cm Länge in die Löcher geklopft und die Latte kann an einer Wand befestigt werden.

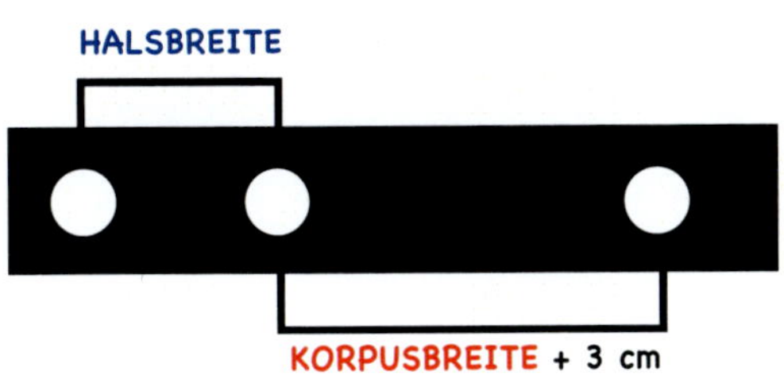

Eine weitere einfache Möglichkeit besteht darin, in kleine Brettchen mit ca. 6 x 10 cm Größe einen Kreis von ca. 4,5 cm Durchmesser zu sägen. Durch das Brett hindurch bohrt man eine lange Schraube und befestigt den Halter an der Wand oder einer Leiste. Der Halter lässt sich darüber hinaus durch einen Zusatz von ca. 6 x 3 cm ergänzen.

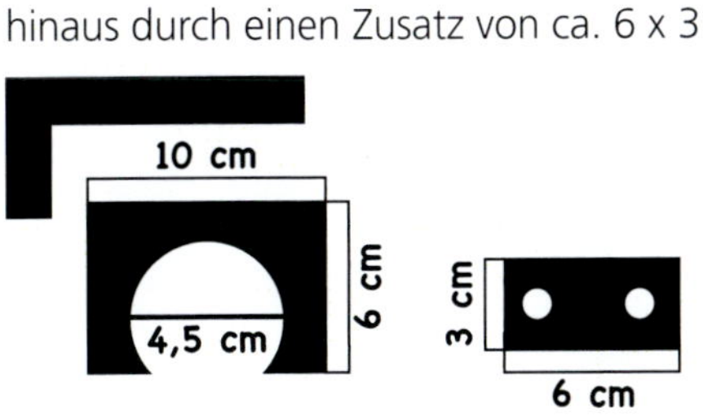

Saiten aufziehen

Die angewandte Technik des Aufziehens von (neuen) Saiten hängt maßgeblich von der Bauform des Steges ab. Ist der Steg mit einem Schlitz-Saitenhalter versehen, so muss am unteren Ende der Saite ein sogenannter Achterknoten angebracht werden. Durch Zug an der Saite wird der Knoten im Schlitz arretiert und das andere Ende der Saite kann durch den Wirbel (4-7) geführt werden. Hat die Ukulele einen sogenannten Knüpfsteg, wie man ihn von der Gitarre her kennt, so wird die Saite mit einem sogenannten Zimmermannsknoten (1-3) befestigt. Beim Festziehen sollte man darauf achten, dass die vierte und die dritte Saite rechts- und die zweite und die erste Saite linksherum geführt werden.

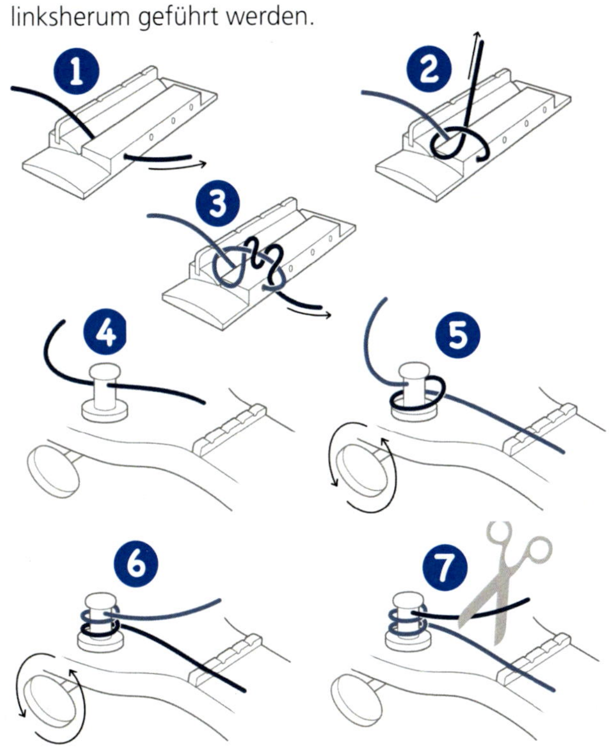

Sind die Saiten fest, kann man mit dem Seitenschneider die abstehenden Enden kürzen. Die Erfahrung hat jedoch gezeigt, dass es durchaus sinnvoll ist, die Saitenenden nicht abzuschneiden. Wenn die Saite reißt, geschieht dies oft am Steg. Ist am Wirbel dann noch ein übriges Stück vorhanden, lässt sich die gerissene Saite weiterhin verwenden.

Bei neuen Saiten ist es ratsam, sie gründlich zu dehnen. Hierzu greift man etwa in Höhe des Schallloches mit zwei Fingern unter die Saite und dehnt sie leicht, etwa zwei bis drei Zentimeter nach oben. Anschließend stimmt man sie und wiederholt das Ganze. Neue Saiten verlieren in den ersten Tagen öfter die Spannung. Je gründlicher und ausgiebiger hier gedehnt und nachgestimmt wird, umso besser wird die Saite die Spannung halten.

Vorstellung der Konzeption

Das Konzept von UKU&LELE kann mit bereits bestehenden Arbeitsplänen vernetzt bzw. in bewährte Strukturen des Musikunterrichts integriert werden. Das Akkordspiel stellt hierbei einen Teilbereich instrumentalen Begleitens dar, welcher recht früh bereichernd im schulischen Alltag eingesetzt werden kann, während die mehrstimmigen Arrangements derart aufgebaut sind, dass Musik verinnerlicht gespielt und Notenlesen „en passent" gelernt werden kann. Der Mehrwert einer singenden und spielenden Großgruppe wird somit von Anfang an als Unterrichtsprinzip sinnvoll genutzt, wodurch weniger der Instrumentalunterricht als mehr ein Unterricht *mit* und *durch* Instrument und Stimme ins Zentrum rückt.

Das Schülerbuch

Die Didaktik in Großgruppen ist eine andere als die in Kleingruppen oder im Einzelunterricht. Das Konzept von UKU&LELE geht in diesem Punkt von einem anderen Ansatz aus: Die Nachteile des Lernens in Großgruppen wurden vermindert bzw. partiell ausgeblendet, um die Vorteile der Großgruppe zu verstärken. Dabei ist das Heft weniger als Handreichung zum Lernen des Ukulelespiels, sondern vielmehr als Heft für Musikunterricht *mit* und *durch* Ukulele zu verstehen.

Das Schülerbuch beinhaltet sieben aufeinander aufbauende Level, die farblich voneinander abgehoben sind und aus bis zu fünf Lektionen bestehen. Jede Lektion beginnt mit dem zu singenden und mit Akkorden zu begleitenden Lied, welches sowohl in der Großgruppe als auch allein, zu zweit oder in Kleingruppen gesungen, gespielt und vorgetragen werden kann (siehe Kapitelübersicht des Schülerbuches Seite 12/13).

Am Ende einer Lektion steht jeweils ein zweistimmiger Spielsatz, der als Vor-, Zwischen- und/oder Nachspiel zu dem neuen Lied eingesetzt werden kann. Die Spielsätze nutzen die Vorteile der Großgruppe, da von Anfang an mehrstimmig musiziert wird. Somit bildet das Klassenorchester – sowohl der Klang als auch die hiermit verbundenen Begebenheiten wie miteinander üben, voneinander lernen, aufeinander hören, miteinander auftreten – einen weiteren, wichtigen Baustein des Konzeptes. Musizieren ist in seinem innersten Wesen eine Gruppenaktivität. Hier lässt es sich gut und einfach auf die Kräfte musikalischer Gruppendynamik vertrauen bzw. liegt hierin die Chance, einen Musikalisierungsprozess zu initiieren.

Der Einsatz von farbigen Saiten und der Tabulaturschrift bietet die Möglichkeit, dass Schüler autodidaktisch, in Kleingruppen, an Stationen im Rahmen offenen Unterrichts, sogar zu verschiedenen Zeiten bzw. an unterschiedlichen Orten mit- und voneinander lernen können.

Zusätzlich wird im Heft ein Notenlehrgang mitgeführt. Dabei steht nicht das saubere Vom-Blatt-Spiel, sondern der handlungsorientierte und spielerische Umgang mit Notenmaterial im Vordergrund.

Die Portfolio-Aufgaben bieten die Möglichkeit, den Prozess im gewissen Rahmen zu individualisieren. Neben zahlreichen anderen Aufgaben und Übungen zu den Bereichen Notation, Rhythmus, Geläufigkeit und Training gibt es weiterhin Informationskästchen zum Thema Musiklehre (wie zum Beispiel zu Taktarten, Dynamik, Vorzeichen oder Dur und Moll).

Die Lieder

Zu Beginn jeder Lektion steht ein neues Lied. Diese wurden aus dem Fundus bewährter, traditioneller Lieder aus aller Welt gewählt, die keinen Jahreszeitenbezug haben. Dies resultiert aus der Entscheidung, ein Heft zu gestalten, das nicht im Zentrum des Musikunterrichts stehen muss, dies aber durchaus kann. Lieder mit Jahreszeitenbezug bilden einen gewissen, invariablen Rahmen. In einem von Jahreszeiten und Feiertagen bestimmten Lehrgang müssten dann die Lieder gespielt und gesungen werden, welche einer bestimmten Reihenfolge zugeordnet sind, auch wenn ein Verweilen in einer gewissen Lektion sinnvoller wäre. Am Ende dieses didaktischen Kommentars ist daher eine Liste mit Liedern (Seite 15/16) eingefügt, die zusätzlich oder anstelle der angegebenen Lieder eingesetzt werden können. Somit kann der kalendarische Bezug von der Klasse bzw. der Situation vor Ort (Jahreszeiten, Schulfeste, Jubiläen) ausgehend eingeflochten und selbst bestimmt werden.

Nichtdeutschsprachige Lieder wurden mit lautmalerischen deutschen Texten versehen: aus *La Cucaracha* wurde *Die Kuh Agatha*, aus *Alouette* wurde *Zwei Skelette* usw. Sind in der Klasse Schüler, welche aus den im Lied angegebenen Ländern stammen, ist es sinnvoll, die Originalversion zu singen und somit den Bezug zur anderen Sprache aufzubauen.

Liederbücher in unserem Sprachraum sind in der Regel so aufgebaut, dass ca. 90 Prozent in Dur-Tonarten und ca. 85 Prozent der Lieder im geraden Metrum sind. Bei UKU&LELE wurde ein Hauptaugenmerk darauf gelegt, dies zu beachten und ein „gesundes" Maß (etwa ein Drittel in Moll und ein Drittel im ungeraden Metrum) an musikalischer Vielfalt zu integrieren.

Michael Fromm, UKU & LELE · Didaktischer Kommentar | © HELBLING

Die Akkorde

Das Lied zu Beginn einer Lektion richtet den Fokus jeweils auf einen neuen Akkord. Die Lieder sind in so genannten Leadsheets notiert, d.h. oberhalb der notierten und mit Text versehenen Melodie sind die Akkorde mit dem zugehörigen Griffbild abgedruckt. Empfehlenswert ist es, die Akkordbilder am Ende dieses didaktischen Kommentars zu kopieren und im Sitzkreis so auszulegen oder an der Wand anzubringen, dass sie von allen Kindern gut gesehen werden können. Alternativ dazu können Akkordwechsel mit kleineren Farbkärtchen, farbigen Punkten, Steinen, Bauklötzen oder mit bunter Kreide verdeutlicht werden. Moll-Akkorde können mit einem zusätzlichen weißen aufgeklebten Punkt oder Markierungen versehen werden, sodass nur wenige Kärtchen nötig sind.

Die Ensemblestücke

Zu jedem Lied gibt es ein Ensemblestück. Dieses kann als Vor-, Zwischen- und Nachspiel eingesetzt werden. Arbeitet man mit einer Rhythmussprache (z. B. Rhythmussprache nach Kodály, siehe Seite 8), so sind die Arrangements schon in den ersten Stunden für die Schüler vom Blatt lesbar. Oft kann es gewinnbringend sein, wesentliche Elemente bereits im Vorfeld über Call-Response-Übungen (auch Echospiel oder Patterntraining genannt) zu isolieren, um der in der zeitgemäßen Musikdidaktik etablierten Forderung „sound before sight" Genüge zu leisten. Auf diese Weise kann hier schon vor dem Spiel auf dem Instrument eine innere Vorstellung der Musik angebahnt werden.

Nicht jedes Stück muss mit Vor-, Zwischen- und Nachspiel gestaltet werden. Hier sollte situativ entschieden werden, was sich eignet und was zu viel ist. Gerade bei Liedern, in welchen die Schüler eigene Strophen geschrieben haben, kann es sich anbieten, auf Zwischenspiele zu verzichten, da das Stück sonst äußerst lang werden kann.

Didaktik – Ukulele unterrichten

Beim Unterricht mit UKU&LELE sollten weniger Aspekte eines auf korrektes Spiel und richtige Technik zielenden Instrumentalunterrichts im Zentrum stehen. Wichtiger ist die Fokussierung auf Elemente eines guten, Lernprozesse initiierenden und auf allgemeine Musikalisierung zielenden Musikunterrichts in der Schule. Dementsprechend ist bei der Haltung in erster Linie darauf zu achten, dass die Kinder keine körperlichen Schäden davon tragen. Die Ukulele sollte von den Schülern so gehalten werden, dass sie spielbar ist und – das ist ein wesentlicher Aspekt – die Spielfreude erhalten bleibt. Ewige Korrekturen an der vermeintlich einen und wahren Spielhaltung sind im Großgruppenunterricht kontraproduktiv.

Ein Fingersatz kann empfohlen werden. Ob es allerdings der Fingersatz ist, der für den Schüler auch der am besten geeignete ist, muss genau überprüft werden. Wenn ein Kind beispielsweise zunächst lieber mit dem Mittel- oder Zeigefinger statt dem Ringfinger den C-Dur-Akkord greift, weil es sich so sicherer fühlt, ist es hilfreicher, dem Verlangen des Kindes nachzukommen als auf traditionelle Greifweise zu bestehen. Der Ringfinger (3) ist anfangs der am wenigsten bewegliche Finger bzw. jener Finger, von welchem die größte Unsicherheit ausgeht. Dies resultiert aus der Tatsache, dass der Ringfinger äußerst selten mit Aufgaben versehen wird.

Etabliert hat sich die Arbeit im Sitzkreis, auch der sogenannte „Kinokreis" mit Blickrichtung nach vorne birgt gewisse Vorteile. Die Ukulele kann durchaus auch stehend gespielt werden (hier ist ein Gurt sehr hilfreich), für das gemeinsame Musizieren ist das Spiel im Sitzen aber am besten geeignet.

Die einfachste Form eines Gurtes lässt sich mit einer Kordel herstellen, die in Höhe des Schallloches unter den Saiten durchgeführt und verknotet wird. Das andere Ende wird am Kopf der Ukulele befestigt:

Der wichtigste und wesentlichste Aspekt ist das Wecken der Freude an Musik. Jedem Spielerischen, jedem zum Lachen animierenden, jedem Freude weckenden, jedem Begeisterung entfachenden und zum Weitermachen, zum fehlerfreundlichen Experimentieren leitenden Tun in der Klasse ist Vorrang zu geben vor allem Korrigierenden.

Musiklernen

Das Musiklernen in UKU&LELE ist in drei Teilbereiche gegliedert:

- **Rhythmussprache**
- **Tonbezeichnungen und Lage**
- **Anwendung im neuen Kontext**

Die viel zu häufig eingesetzte (und äußerst fragwürdige) Methode, zuerst an der Notation der Musik zu arbeiten und aus ihr heraus das Spielen zu steuern, eignet sich für den Gruppen-Musizierunterricht nur bedingt. Um eine innere Vorstellung von Musik anzubahnen, ist die Verwendung einer Rhythmussprache einer der wichtigen Aspekte im Unterricht, welche zur Audiation befähigen können.

Die **Rhythmussprache** in UKU&LELE entspricht den sich an Grundschulen bewährten Vorgaben von Zoltán Kodály. Sie bietet als eine absolute Rhythmussprache einen wichtigen Baustein im kompetenzorientierten Musikunterricht, da ihre Systematik ein Anknüpfen an bisher Gelerntes ermöglicht und der Wiedererkennungswert somit für anschlussfähiges Wissen sorgt.

Das „Spiel mit der Stimme" sollte zum Unterrichtsprinzip werden. Dazu gehört auch das gemeinsame Sprechen in Rhythmussprache, welches auch mehrstimmig gestaltet werden kann. Es ist empfehlenswert, jede Unterrichtsstunde mit Call-Response-Spielen zu beginnen. Hierfür spricht und klatscht der Lehrer einen Baustein (etwa „ta titi ta ta") vor, woraufhin die Schüler dies wiederholen. Auch zwei- oder mehrtaktige Patterns („ti ta ti ta ta | titi ta titi ta" oder „tao ta ta | titi ta ps ta | ta ta Pau-se") können bereits sehr früh spielerisch eingesetzt werden. In einer anschließenden Phase kann sich jeder Schüler seinen eigenen Rhythmus ausdenken und es wird in der gleichen Art verfahren. Dieses Patterntraining muss nicht immer zwingend an gewohnte Taktarten gebunden sein, sodass auch Rhythmen wie „ta ta titi ps ta" eingebracht werden können.

Call-Response-Übungen zum Stundenbeginn können vielschichtig gestaltet werden:

- die Bausteine werden wiederholt
- auf der Ukulele gespielte Bausteine werden in Rhythmussprache übersetzt bzw. in Rhythmussprache gesprochene Bausteine werden auf das Instrument übertragen
- geschriebene Rhythmen werden gesprochen/gespielt/gesprochen und gespielt bzw. gesprochene/gespielte Rhythmen werden geschrieben

Auch hier gilt die Devise einer fehlerfreundlichen Musikwerkstatt-Atmosphäre, sodass der Musikprozess und nicht das Ergebnis im Vordergrund steht.

Die Rhythmen werden im Laufe der Zeit in ihrer Schwierigkeit gesteigert, sodass in geübten Klassen (nach ca. einem Jahr) zwei- und auch dreitaktige komplexere Rhythmusbausteine in diese Übung einfließen können. Besonders zielführend und für eine Musikstunde bereichernd ist es, wenn in diese Übungen eine Vorübung des zu erarbeitenden Liedes bzw. Stückes eingeflochten wird, sodass die im Laufe der Schulstunde benötigten Bausteine bereits geübt (und im Idealfall sogar schon verinnerlicht) wurden.

Schüler, welche zu Beginn jeder Schulstunde ca. fünf Minuten solche Rhythmusübungen machen, sind sehr früh (meist schon nach wenigen Stunden) in der Lage, einfache Rhythmen vom Blatt zu spielen – wenngleich das nie beabsichtigt war bzw. explizit geübt wurde. Der Umgang mit Rhythmussprache ermöglicht später selbstgesteuertes Arbeiten in freien Phasen. Weitere Beispiele für den Umgang mit Rhythmussprache und Spielideen zum Rhythmustraining finden sich ab Seite 14.

Noten sollten in erster Linie die Funktion einer *Nachschrift* haben, d.h. die Musizierenden sollen in der Notation das bereits Musizierte bzw. Elemente des bereits Musizierten *wieder erkennen*. Notation ist dann in erster Linie eine Erinnerungsstütze. Neue Töne werden deshalb stets in den Spielsätzen vorgestellt, welche zunächst nach Tabulatur gespielt werden. Am Rand des Mitspielsatzes befindet sich ein Stift. Er zeigt die Lage des Tones, der dann entsprechend eingekreist werden soll. Den Unterricht (etwa in der freien Arbeit) bereichernd kann auch die Aufgabe gestellt werden, im Buch zurück zu blättern und alle bisherigen Töne entsprechend einzukreisen.

Die speziellen Aufgaben und Spiele zum Thema Komposition sind mit den einfachen Kompositionsaufträgen ein weiterer Baustein des Musikalisierungsprozesses, mit welchem ein selbständiger und an Handlung und Spiel orientierter Umgang mit musikalischem Material experimentierend geübt und **angewandt** werden kann. Dabei wird der kompositorische Teil innerhalb eines engen vorgegebenen Bereichs (meist Pentatonik) gestaltet. Dem rhythmischen Bereich liegen auf Zufall beruhende (aleatorische) Prinzipien zugrunde, sodass beispielsweise der Aufbau eines Patterns durch Würfeln bestimmt wird.

Die Kompositionsaufträge haben den Charakter einer in Grundschulen gebräuchlichen „Werkstattarbeit" und sollten von daher frei gestaltbar sein und in keiner Weise abgeprüft werden. Mehrere rhythmische Kompositionen können zusammengelegt bzw. geschichtet werden und so mehrstimmig gestaltet oder aufgeführt werden. Dazu eignet sich jede Form von Percussion, Bodypercussion oder Alltagsinstrumente wie Bücher, Stifte, Schlüsselbund oder Tisch.

Greifen, Zupfen, Streichen

Die Ukulele ist – wie die Gitarre auch – eines der Instrumente, welches der Motorik des Menschen am meisten widerspricht: Ein Arm wird abgeknickt, eine Hand gedreht und Finger auf Saiten gedrückt, was anfangs schmerzhaft sein kann. Kognitiv kommt hinzu, dass diese motorisch ungeübten und unüblichen Griffe vom Auge kontrolliert werden müssen. Eine weitere Herausforderung ist die Tatsache, dass in der Regel mehrere Dinge gleichzeitig verlangt werden: Das Suchen und anschließende Greifen einer bestimmten Saite in einem bestimmten, zu suchenden Bund geht mit dem gleichzeitigen Zupfen an anderer Stelle jener besagten Saite einher. Dies sind komplexe Abläufe, die schnell in Überforderung und genauso schnell in Ermüdung, Resignation bzw. Desinteresse münden können. Hier sollte der Lehrer die möglichen Fehlerquellen kennen:

- eine andere als die gewünschte Saite wird gewählt
- ein anderer als der gewünschte Bund wird gewählt
- eine andere als die gewünschte Saite wird gezupft

Die Farbsaiten bieten hier erhebliche Erleichterung, da von drei Zahlaufgaben (welche Saite in welchem Bund drücken, wo zupfen) die erste und die dritte (Wahl der Saite, Zupfen derselben) durch Farbangabe eindeutig zuzuordnen ist.

Die Schlagbewegung geschieht aus dem Handgelenk, wobei der gesamte Arm der Schlaghand mehr oder weniger still liegen bleiben soll. Die optimale Stelle, um die Saiten anzuschlagen, befindet sich im Bereich zwischen dem letzten Bund und dem Schallloch. Das Streichen der Saite beim Abschlagen geschieht, indem man mit dem Fingernagel des Zeigefingers bzw. mit den Fingernägeln von Zeige-, Mittel- und/oder Ringfinger von oben nach unten über die Saiten streicht. Der Aufschlag geschieht mit der Außenseite des Daumennagels. Manche Ukulelespieler benutzen Plektren, oft solche aus Filz. Aus der Erfahrung, dass Plektren grundsätzlich immer (und auch in großen Massen) verloren gehen, empfiehlt es sich, gänzlich hierauf zu verzichten.

Das singuläre Greifen eines neuen Akkordes geschieht in der Regel (vor allem bei Farbsaiten) sehr schnell. Problematisch gestalten sich hingegen Wechsel. Auch hier muss regelmäßig geübt werden. Durch kleine Veränderungen in den Übephasen ändert sich zwar das Unterrichtstempo, das Lerntempo bleibt allerdings langsam. Folgende Varianten im Üben können hier hilfreich sein:

- Greift den Akkord C (F, G, …) und spielt ihn zwei (drei, vier, …) mal. Dann sind zwei (drei, vier, …) Schläge Pause und der Akkord G (Am, D, …) wird zwei (drei, vier, …) mal gespielt.
- Spielt den neuen Akkord zwei (drei, vier, …) mal. Dreht euch zu eurem rechten/linken Nachbarn und winkt ihm zu (lacht ihn an, nickt, …). Anschließend spielt ihr den neuen Akkord wieder zwei (drei, vier, …) mal.
- Spielt den neuen Akkord. Dann spielt ihr den alten/bekannten Akkord. Nun wartet ihr zwei (drei, vier, …) Schläge.
- (etwa in Halben zählend:) Neuer Akkord – Wechsel – alter Akkord – Wechsel – neuer Akkord – Wechsel …
- Die Hälfte der Klasse spielt den alten Akkord, die andere Hälfte den neuen Akkord (je an der richtigen Stelle im Lied). Wir singen dazu das Lied.

Bei der Arbeit am Ensemblestück ist es sinnvoll, diese auf unterschiedliche Aspekte hin zu beleuchten. Hierbei haben sich die Teilbereiche Metrum, Takt, Rhythmus und Intonation bzw. Spieltechnik bewährt. Zerlegt man jedes Stück in unterschiedliche „Trainingsbereiche", welche gegen Ende zusammengesetzt werden, kann jede Arbeitsphase unter unterschiedlichen Schwerpunkten gestaltet werden. Dabei kann es zielführend sein, wenn in bestimmten Sequenzen (zunächst) nur ein Bereich im Vordergrund steht und die anderen vernachlässigt werden. Somit ist beispielsweise beim Üben des Rhythmus die richtige Greifweise untergeordnet, wohingegen das Greifen der richtigen Töne losgelöst vom vorgeschriebenen Metrum oder Takt geübt werden kann.

Da das Konzept von UKU&LELE auf Musizieren im Klassenverband und ein Anbahnen musikalischer Kompetenzen im Musikalisierungsprozess zielt, steht ein traditioneller Lehrgang mit strengem Fingersatz nicht im Mittelpunkt bzw. würde eher hinderlich wirken. Von daher wird hier keinem „Königsweg" Vorrang eingeräumt, sondern vielmehr dazu aufgemuntert, die Schüler genau zu beobachten: Wer braucht Hilfe und welche Hilfe ist hier angemessen und Gewinn bringend?

Begleiten

Beim Musizieren im Klassenverband kann es hilfreich sein, der Gruppe eine metrische Stütze zu bieten, um ein gleichmäßiges Tempo zu gewährleisten bzw. das unbewusste Schnellerwerden zu verhindern. Dabei bietet es sich an, die Klasse mit einer Bassstimme, die sich durch ihre tiefere Lage gut vom restlichen Ukulele-Klang abhebt und den Grundbeat betont, zu begleiten. Dafür eignen sich eine Bassukulele, eine Gitarre – wobei nur die vier obersten Saiten verwendet werden –, oder jedes andere Bassinstrument.

Für die allermeisten Stücke aus UKU&LELE kann die Bassbegleitung nach einem einfachen Prinzip, dem Wechselbass, selbst zusammengesetzt werden. Steht das Stück im Vier-Viertel- oder Sechs-Achteltakt, wird zum Taktbeginn der Grundton und auf die Taktmitte die Quinte des angegebenen Akkords gespielt. Bei Stücken im Zwei- oder Drei-Vierteltakt kommt der Grundton ebenfalls zu Beginn des Taktes, die Quinte erst zu Beginn des zweiten Taktes mit derselben Akkordbezeichnung. Für jeden Akkord gibt es also zwei Töne, die im Wechsel gespielt werden können (aber nicht müssen).

Achtung: Bei der jeweils unteren Zeile handelt es sich – anders als im Schülerbuch – um eine Bass-Tabulatur mit der Stimmung E–A–d–g.

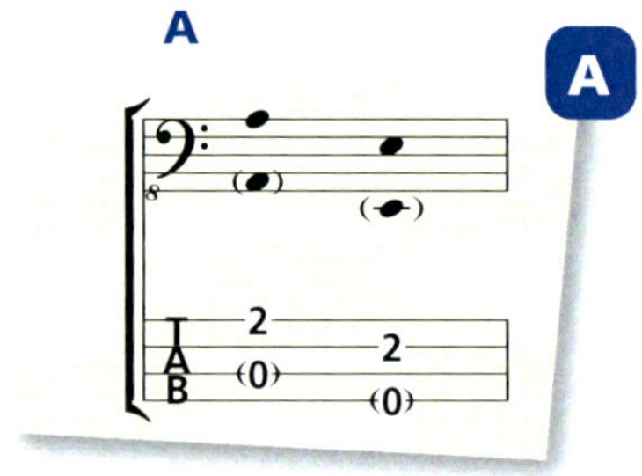

Arbeit am Portfolio

Die Arbeit mit und an den Portfolio-Aufgaben ermöglicht in einigen Bereichen eine differenzierte, bisweilen individualisierte Gestaltung innerhalb des durch UKU&LELE angeregten Musikalisierungsprozesses. Diese Bereiche sind bewusst ohne einengende Vorgaben gehalten, um den Schülern die Möglichkeit zu geben, nach eigenen Prämissen zu dokumentieren, zu ergänzen und collagieren, aufzuschreiben, zu malen, kleben und zu erweitern, um somit gestalterisch tätig zu werden. Es ist hilfreich, wenn für manche Aufgaben spezifisches Material zur Verfügung steht. Dies reicht von eigenen Fotos bzw. Artikeln und Fotos aus der Tagespresse über (Fach-)Zeitschriften bis hin zu Katalogen von Musikalienhändlern oder Musikmessen. Material inspiriert! Dementsprechend kann auch das Zur-Verfügung-Stellen von verschiedenen Farben, Stiftarten, Scheren bzw. Bastelscheren mit verschiedenen Konturschnitten und Klebstoff bereichernd wirken. Eine Sammlung von musikbezogenen Illustrationen (im Internet sehr schnell auffindbar) liefert den Schülern eine Orientierungshilfe beim Zeichnen, Malen oder Collagieren.

Portfolioseiten können in Heften, Schnellheftern oder Ordnern geführt werden. Eine Bewertung muss nicht zwingend erfolgen, da die ästhetische Dimension keinen Aufschluss über die tatsächliche Auseinandersetzung mit der Thematik gibt. Insofern kann es auch sinnvoll sein, ein Portfolio in Form digitaler Dokumentation zu führen. Darüber hinaus kann es hilfreich sein, den Schülern zu zeigen, wie die Aufgabenfelder durch das Einkleben zusätzlicher, gefalteter Blätter und Seiten im Sinne eines LapBooks erweitert werden können. Der Vorstellung der Ergebnisse kann in den Musikstunden ein regelmäßiges Forum gegeben werden.

 © HELBLING

Die Portfolio-Aufgaben lassen sich in zwei Bereiche einteilen: „(Mit-)Arbeit am Lied" und „Rund um die Musik". Beide verfolgen das Prinzip des fächerübergreifenden bzw. fächerverbindenden Lernens mit einem Schwerpunkt im Deutschunterricht.

Acht Lieder in UKU&LELE sind Lieder, in welchen die Schüler ihre eigenen Texte schreiben können: *Mein Hut*; *Jimba Jimba*; *Sing*; *Tief im Urwald*; *Nick Nack Paddywhack*; *Zwei Skelette*; *Richtig doof*; *Wenn der Lehrer singt*.

Dieser selbstverständliche und spielerische Umgang mit Liedern stellt einen weiteren Baustein im Musikalisierungsprozess dar. Die meisten Lieder sind so aufgebaut, dass das Weiterschreiben losgelöst vom Reimschema geschieht, sodass eine Suche nach Reimwörtern nicht nötig ist. Das Weiterschreiben kann fächerverbindend im Deutschunterricht aufgegriffen werden. Es bietet sich an, Texte in (Klein-)Gruppen schreiben zu lassen, wobei auch das individuelle Schreiben reizvoll sein kann.

Das Lied *Nick Nack Paddywhack* stellt insofern eine Ausnahme dar, als hier ein verbindliches Reimschema vorgegeben ist. Um dieses Lied weiter zu schreiben, ist ein Reimlexikon hilfreich (mittlerweile gibt es auch zahlreiche Apps für Smartphones). Oft hinterlassen solche Lieder eine bleibende Erinnerung und nicht selten sorgen sie für eine ganz besondere Identifikation. Gerade selbst geschriebene Texte werden von Schülern sehr gerne gesungen und noch lieber aufgeführt.

Bei fünf Liedern geht es darum, nach weiteren, bereits bestehenden Strophen zu suchen: *Ukulelele*; *Drunten in der grünen Au*; *Meine Mi, meine Ma*; *Uns're alte Katz*; *Die Wissenschaft*.

Neun Lieder in UKU&LELE sind Lieder, die um eine grundschulgemäße, freie Portfolio-Aufgabe ergänzt werden können: *Weite die Flügel*; *Die Kuh Agatha*; *Sum gali gali*; *Wenn der Topf*; *Zieht das Boot*; *Hat man dieses Lied gesungen*; *Vater Abraham*; *Unser Rico; Pinguin am Meer*. Hierbei steht weniger das Schreiben als mehr die Auseinandersetzung mit den musikalischen Themen wie Soundscape, spezielle Instrumente, Musik in der Gesellschaft oder Klassifizierung von Musik im Vordergrund.

Bei drei Liedern liegt der Schwerpunkt auf Fremdsprachen: *Bruder Jakob*; *Guten Morgen*; *Woher du kommst*. Diese Aufgaben können durch Schreiben, Sammeln, Malen, Basteln, Kleben, Collagieren etc. bearbeitet werden.

Fazit – Musik unterrichten mit Ukulele

Groß-Gruppenunterricht in der Schule hat eine andere Dimension als Instrumentalunterricht mit nur zwei oder drei Schülern. Insofern sollte man den Musikunterricht in der Schule auch eher mit „Unterricht an der Schule" als mit Instrumentalunterricht vergleichen. Beim Unterricht in der Schule ist es völlig normal und legitim, dass nicht alle Schüler alles können – der eine hat Defizite in der Multiplikation, die andere bei der Rechtschreibung, der nächste beim Lesen, wieder eine andere bei der Groß- und Kleinschreibung. Würden alle Schüler die Grundschule erst dann verlassen, wenn sie alles können, hätte jeder (zu Recht!) nur gute Noten auf dem Zeugnis. Dem ist nicht so.

Wir haben in allen Fächern eine gewisse Fehlertoleranz entwickelt. Diese geht sogar so weit, dass Schüler, die in allen Fächern (nur) „ausreichende" Ergebnisse erzielen, versetzt werden. Diese Fehlertoleranz ist allerdings im Musikunterricht insofern nicht ganz unproblematisch, als jeder Fehler unserer auf Ästhetik fokussierten Wahrnehmung im Weg steht: Wir empfinden gesungene oder gespielte Töne, die außerhalb des Harmonie bzw. des rhythmischen Gefüges liegen, als störend.

Dennoch muss es das Recht jedes Schülers sein, sich zu verspielen, Melodien nicht fehlerfrei singen zu können, gewisse rhythmische Strukturen nicht zu durchdringen oder beim Greifen gewisser Akkorde bis zum Schluss Probleme zu haben. Dies bedeutet in letzter Konsequenz, dass eine neue Lektion, ein neuer Akkord, ein neuer Ton oder Notenwert durchaus auch dann eingeführt werden kann, wenn noch einige Schüler das bisher Behandelte nicht vollends verinnerlicht haben. Das Spiel der Ukulele ist insofern für diese Form eines guten Grundschulunterrichts geeignet, als ein Verspielen bzw. unsauberes Greifen von einigen Schülern den Gesamtklang nicht stört – er bildet vielmehr auf diese Weise die Realität ab.

UKU&LELE – Kapitelübersicht des Schülerbuches

Lieder, Akkorde, Töne, Rhythmussilben, Musiklehre und Portfolio-Aufgaben der einzelnen Lektionen im Überblick

Seite	Lektion	Spielstück	neuer Akkord	vorkommende Akkorde	neuer Ton	neue Rhythmus-silbe	Musiklehre	Portfolio
Level 1								
16	1	Bruder Jakob (Frère Jacques)	C	C	c''	Viertelnote *ta* und Viertelpause *ps*	Takte, speziell Vier-Vierteltakt	verschiedene Übersetzungen des Liedes suchen und die passenden Flaggen dazu zeichnen
20	2	Weite die Flügel (Fly like an eagle)	Am	C	a'	Achtelnote *ti* und Achtelpaar *titi*		Soundscape – was hört ein Adler, der über die Schule fliegt?
Level 2								
24	3	Guten Morgen	F	F	f'	Halbe Note *tao*	Drei-Vierteltakt	Begrüßungen in verschiedenen Sprachen
28	4	Mein Hut		F, C				weitere Strophen erfinden
30	5	Die Kuh Agatha (La cucaracha)		F, C				Collage über Lieblingsinstrumente
32	6	Ukulelele (Die Vogelhochzeit)		F, C	c'			Strophen zum Originallied sammeln
Level 3								
34	7	Sum gali gali	Dm	Dm	d'	Ganze Note *taoao*	Notenpyramide	Collage über Kunst aus dem Orient
38	8	Jimba Jimba		Dm, Am				Lieder in Fantasiesprache sammeln
40	9	Was machen wir (What shall we do)		Dm, C				eigene Strophen erfinden
Level 4								
42	10	Sing	G	G	g'	Punktierte Viertelnote *tai*	Zwei-Vierteltakt	Collage mit Bildern singender Menschen; weitere Strophen erfinden
46	11	Tief im Urwald (He's got the whole world)		G, C				eigene Strophen erfinden und dazu malen
48	12	Drunten in der grünen Au		G, C	e'			weitere Strophen des Liedes sammeln

50	13	Wenn der Topf		G, C, F				Sammlung von Bildern oder Artikeln über Konzerte
52	14	Nick Nack Paddy-whack		G, C, F			Dynamik *pp* bis *ff*	eigene Strophen erfinden
Level 5								
54	15	Zieht das Boot (Row, row, row your boat)	D	(Dm)	fis'		Dur/Moll; Sechs-Achteltakt; #-Vorzeichen	Papierboot basteln; Sammlung fröhlich und traurig klingender Lieder
58	16	Meine Mi, meine Ma		D				Sammlung von Liedern über das Thema Essen; Bildcollage
60	17	Zwei Skelette (Alouette)		D, G				eigene Strophen erfinden
62	18	Uns're alte Katz		D, C, G			Zwiefacher	Sammlung von Liedern über Tiere
64	19	Die Wissenschaft		D, C, G	h'			weitere Strophen sammeln
Level 6								
66	20	Hat man dieses Lied gesungen	A	A		Halbe und Ganze Pause		Collage mit Bildern von Chören
70	21	Vater Abraham (Father Abraham)		A, D	d''			Bewegungen erfinden
72	22	Richtig doof (Joshua fought the battle)		A, Dm				eigene Strophen erfinden
74	23	Unser Rico (Un poquito cantas)		A, Dm	b'		*b*-Vorzeichen	Collage über verschiedene Anlässe, bei denen gesungen wird
Level 7								
76	24	Pinguin am Meer	Gm	Gm		Achtelpause *k*		Lieder sammeln und nach Elementen sortieren
80	25	Wenn der Lehrer singt (Az der rebe zingt)		Gm, A, Dm				eigene Strophen erfinden
82	26	Woher du kommst (Hine ma tov)		Gm, A, Dm		Punktierte Halbe Note *taoa*		zugehörige Länder der fremdsprachigen Lieder in Uku&Lele suchen

Spielideen

Man braucht sie immer wieder, diese kleinen Unterbrechungen zum Spielen, Musizieren und Nebenbei-Lernen. Musikalische Spiele lassen sich einfach um des Spielens Willen, aber auch zielgerichtet zum Lernen und Üben einsetzen. Wie man (scheinbar nur drauf los) spielt und dennoch sinnvoll in den Teilbereichen Metrum/Takt/Rhythmus, Tonhöhe/Melodie, Klang/Harmonie und Form/Gestalt schöpferisch-lernend agieren kann, zeigt die nachfolgende Sammlung.

Oft gibt es Streitereien, wer ein Spiel beginnt. Ein paar Ideen, wie jedes Spiel anders anfangen kann:

Ein Spiel beginnt der oder die

- kleinste/größte/jüngste/älteste
- mit den meisten/wenigsten Buchstaben im Vor-/Nachnamen
- mit den kleinsten/größten Füßen/Händen/Fingern
- mit den kürzesten/längsten/dunkelsten/hellsten Haaren
- mit den schmutzigsten/saubersten Schuhen
- mit den meisten/wenigsten Knöpfen an der Kleidung
- mit der kleinsten/größten Hausnummer
- den höchsten/tiefsten/längsten Ton singen kann
- usw.

Hier finden Schüler sehr gerne weitere Varianten – oft ist dann die Suche nach dem „Spielstarter" schon ein kleines abenteuerliches Spiel vor dem Spiel.

Raimund sagt

Die ersten Übungen und Spiele haben korrektes Greifen und/oder korrektes Zupfen zum Gegenstand. Die einfachste Form, dies spielerisch zu gestalten, ist durch das Spiel *Raimund sagt* (deutsche Version des englischen Spiels *Simon says*). Hier werden die verschiedensten Aufträge (welche Saite in welchem Bund gespielt werden soll) formuliert. Die Schüler führen diese aber nur dann aus, wenn ihnen ein „Raimund sagt" vorausgegangen ist. Fehlt dieser Satzteil, darf nichts ausgeführt werden. Die Fehlerquelle nimmt zu, wenn man das Spiel beschleunigt: „Raimund sagt: Spielt die grüne Saite im ersten Bund. Raimund sagt: Spielt die grüne Saite im zweiten Bund. Raimund sagt: Spielt die grüne Saite im dritten Bund. Und jetzt im vierten Bund ..." Besonders beliebt sind komplexere Aufträge, wie: „Raimund sagt: Greift die rote Saite im vierten Bund und zupft an der grünen." Zudem ist es reizvoll, das Spiel zu variieren. Beispielsweise kann variiert werden, für wen die Aufträge gelten (Mädchen/Jungs/Dunkelhaarige/Blonde/Fische/Waagen/Zwillinge/alle mit Turnschuhen/Brillen/Jeans ...), mit welchem Finger und wie oft gezupft werden soll oder welche Zusatzaktionen ausgeführt werden sollen (auf einem Bein/im Stehen/auf dem Boden sitzend/kniend/mit einem geschlossenen Auge/mit herausgestreckter Zunge ...).

Durch diese Übungen wird zwar nach wie vor das Greifen und Zupfen geübt, durch die Variation allerdings der Schwerpunkt auf das Spiel verlagert, sodass lediglich das Unterrichtstempo beschleunigt wird, das Lerntempo allerdings langsam bleibt.

Das ungewohnte Spiel mit der Greifhand ist anfangs sehr anstrengend. Hier ist regelmäßiges Entspannen wichtig und hilfreich. Gestaltet man dies lustig, wächst die Freude an diesem Spiel: Auf den Befehl „Relax!" muss die Ukulele in der anderen Hand gehalten, die Greifhand ausgestreckt und ausgeschüttelt werden, während man „Puuuuhhh!" seufzt.

Einer fehlt immer

Im Kreis werden ein oder mehrere Töne oder Akkorde „herumgegeben".

Einer spielt einen Ton auf der Ukulele und gibt seine Lage an. Hierauf spielt sein rechter Nachbar denselben Ton, dann dessen rechter Nachbar usw. Beim nächsten Durchgang wird etwa dann, wenn der dritte Schüler spielt, vom ersten Spieler derselbe Ton erneut (oder in erhöhter Schwierigkeit ein anderer Ton) gespielt und weiter gegeben, sodass nun zwei Töne hintereinander wandern. Erhöht man die Anzahl auf vier bis sechs Töne, kommen in der Regel mindestens einer, oft sogar zwei oder mehr zu wenig „zurück" – ein Phänomen, welches selbst bei Erwachsenen auftritt.

Malreihen

Im Kreis wird reihum gezählt, wobei alle Zahlen einer zuvor vereinbarten Malreihe durch einen Ton oder Akkord ersetzt werden.

Als Übereihe wird beispielsweise die Dreierreihe vereinbart. Der erste Spieler sagt „eins", der zweite „zwei", der dritte muss auf der Ukulele spielen, der vierte sagt „vier" usw. Als zusätzliche Schwierigkeit kann vereinbart werden, dass nicht nur jede Zahl der Dreierreihe, sondern zusätzlich auch jede Zahl, die die Ziffer 3 enthält, gespielt werden soll.

Gänsefamilie

Eine Gänsemutter wird bestimmt. Diese spielt auf eine bestimmte Weise einen oder mehrere Töne oder Akkorde. Die übrigen, die Gänsekinder, ahmen alles nach, was die Gänsemutter vormacht. Hierbei sollen sowohl Klang und ggf. Rhythmus als auch die entsprechende Körperhaltung, Spielweise, Mimik etc. imitiert werden. Das Spiel lebt in erster Linie vom Einfallsreichtum der jeweiligen Gänsemutter; je außergewöhnlicher gespielt (und entsprechend nachgeahmt) wird, desto interessanter.

Multitask

Eine zuvor vereinbarte Melodie/ein Rhythmuspattern auf einer oder mehreren Saiten wird immer wiederholend von allen gespielt. Dabei ist auf ein konstantes Metrum zu achten. Beherrschen alle das Pattern, stellt der Lehrer dem Lernstand der Klasse angemessene bzw. dem Lernstoff der anderen Fächer entnommene Fragen, die einfach durch Zurufen beantwortet werden dürfen. Ziel ist es, die Konzentration zu verlagern, sodass Abläufe des Ukulelespiels ins Unterbewusstsein übergehen.

Virusmail

In einer zuvor vereinbarten Lage (etwa gelbe Saite, dritter Bund) wird der sogenannte „verbotene Rhythmus" (etwa „ta titi ta ta") vorgestellt. Nun spielt der Spielleiter verschiedene eintaktige Rhythmen vor, die von allen anderen wiederholt werden müssen. Spielt er jedoch den verbotenen Rhythmus (die Virusmail) vor, darf dieser nicht wiederholt (weitergeleitet) werden. Spielen die anderen ihn trotzdem, gibt es einen Punkt für den Spielleiter; wiederholen sie ihn nicht, gibt es einen Punkt für die Klasse. Vorher sollte vereinbart werden, ab welcher Punktzahl der Sieger feststeht. Das Spiel wird erschwert, wenn in Tempo und Dynamik variiert wird.

Kofferpacken

Das bekannte Spiel „Kofferpacken" in abgewandelter Form: Statt verschiedener Dinge werden Töne eingepackt bzw. gestapelt. Der erste Spieler spielt einen Ton und nennt dessen Lage. Der zweite Spieler wiederholt diesen und spielt einen neuen Ton, den er ansagt. Der dritte Spieler wiederholt die ersten beiden Töne und spielt einen weiteren usw. Als Vereinfachung kann auch immer nur der Ton des direkten Vorgängers wiederholt werden. Um die Aufmerksamkeit aller permanent zu fordern, können alternativ die „alten" Töne jeweils von der ganzen Gruppe wiederholt werden.

Lieder für die Ukulele

Bei der Konzeption von UKU&LELE wurde bewusst auf Lieder mit Bezug zu Jahreszeiten verzichtet. Dennoch ist es bisweilen sinnvoll, auch saisonale Lieder (vor allem in der Weihnachtszeit) zu integrieren. Diese Liste ermöglicht es, auf ein erweitertes Repertoire zurückzugreifen.

Frühling

- Der Winter ist vorüber
- Der Kuckuck und der Esel
- Erwacht ihr Schläfer drinnen
- Es tönen die Lieder
- Im Märzen der Bauer
- Kuckuck ruft's aus dem Wald

Sommer

- Es klappert die Mühle
- Summ, summ, summ
- Tra-ri-ra, der Sommer, der ist da

Herbst

- Hört ihr die Drescher?
- Ich geh mit meiner Laterne
- In Mutters Stübele
- Laterne, Laterne
- Sankt Martin
- Wind, Wind, brause
- Wir denken nicht daran

Winter/Weihnachten

- A, a, a, der Winter, der ist da
- A, B, C, die Katze
- Der Winter ist ein rechter Mann
- Es wird scho glei dumpa
- Ich sah drei Schiffe fahren
- Josef, lieber Josef mein
- Juchhe, der erste Schnee
- Kommet, ihr Hirten
- O Tannenbaum
- O wie ist es kalt geworden
- So treiben wir den Winter aus
- Was soll das bedeuten?
- Winter ade
- Wir sagen euch an, den lieben Advent

Ohne Bezug

- Aram Sam Sam
- Atte katte nowa
- Auf einem Baum ein Kuckuck
- Dornröschen war ein schönes Kind
- Ein Hase saß im tiefen Tal
- Ein Jäger aus Kurpfalz
- Ein Männlein steht im Walde
- Ein Mops kam in die Küche

- Es lebt der Eisbär in Sibirien
- Es tanzt ein Bi-Ba-Butzemann
- Froh zu sein
- Hänsel und Gretel
- Heut ist ein Fest bei den Fröschen
- Hoch soll er leben
- Jetzt fahrn wir über'n See
- Kein schöner Land
- Kommt ein Vogel geflogen
- Miau, miau, hörst Du mich schreien
- Oh My Darling Clementine
- Rock My Soul
- Schlaf, Kindchen, schlaf
- Sur Le Pont D'Avignon
- Suse, liebe Suse
- Tiritomba
- Tom Dooley
- Und jetzt gang i ans Peters Brünnele
- Viel Glück und viel Segen
- Was müssen das für Bäume sein?
- Wer will fleißige Handwerker sehn?
- Widele, wedele

(ab) LEVEL 4

Frühling

- Alles neu macht der Mai
- Alle Vögel sind schon da
- Grüß Gott, Du schöner Maien
- Jetzt fängt das schöne Frühjahr an
- Nun will der Lenz uns grüßen
- Singt ein Vogel

Sommer

- Lachend kommt der Sommer

Herbst

- Auf, auf zum fröhlichen Jagen
- Hejo, spann den Wagen an

Winter/Weihnachten

- Alle Jahre wieder
- Am Weihnachtsbaume
- Go, tell it all the mountains
- Ihr Kinderlein kommet
- Lasst uns froh und munter sein
- Morgen, Kinder, wird's was geben
- Santa Lucia
- Schneeflöckchen, Weißröckchen
- Stille Nacht

Ohne Bezug

- Ade zur guten Nacht
- Abendstille überall
- Am Brunnen vor dem Tore
- An der Nordseeküste
- Auf du junger Wandersmann
- Banana Boat Song
- Das Wandern ist des Müllers Lust
- Der Cowboy Jim
- Der Mond ist aufgegangen
- Der Papagei ein Vogel ist
- Die Affen rasen durch den Wald
- Die Gedanken sind frei
- Down by the riverside
- Drei Chinesen mit dem Kontrabass
- Eine Seefahrt, die ist lustig
- Epoi tai tai
- Es waren zwei Königskinder
- Every time I feel the spirit
- Fuchs, Du hast die Gans gestohlen
- Fünf kleine Fische
- Gaudeamus igitur
- Goodnight, ladies
- Grün, grün, grün sind alle meine Kleider
- Hab 'ne Tante aus Marokko
- Happy Birthday to you
- Head and shoulders
- Home on the range
- Hurra, ich bin ein Schulkind
- Ich kenne einen Cowboy
- If you're happy and you know it
- Im schönsten Wiesengrunde
- Im Frühtau zu Berge
- Kumbaya, my Lord
- La Paloma
- Muffin Man
- My Bonnie is over the ocean
- Obwisana
- Oh, Susanna
- Schön ist die Welt
- Swing low, sweet chariot
- The lion sleeps tonight
- The wild rover
- The yellow rose of Texas
- Wenn alle Brünnlein fließen
- Wenn ich ein Vöglein wär
- When the saints go marching in
- Winde wehn, Schiffe gehn
- Wir lieben die Stürme
- Yankee Doodle
- Yellow rose of Texas
- You are my sunshine
- Zwei kleine Wölfe

Kopiervorlagen

Michael Fromm, UKU & LELE · Didaktischer Kommentar | © HELBLING

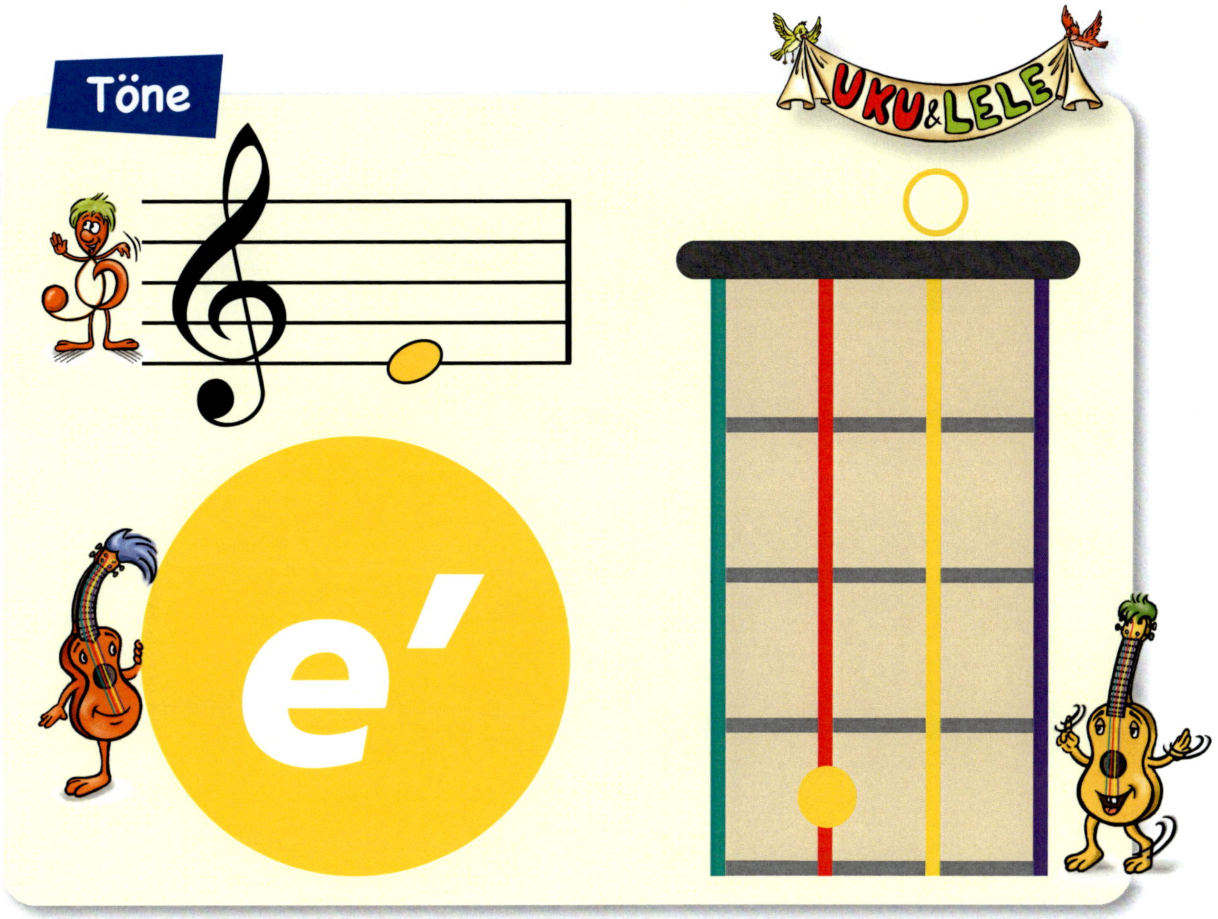
Töne
UKU&LELE
e′

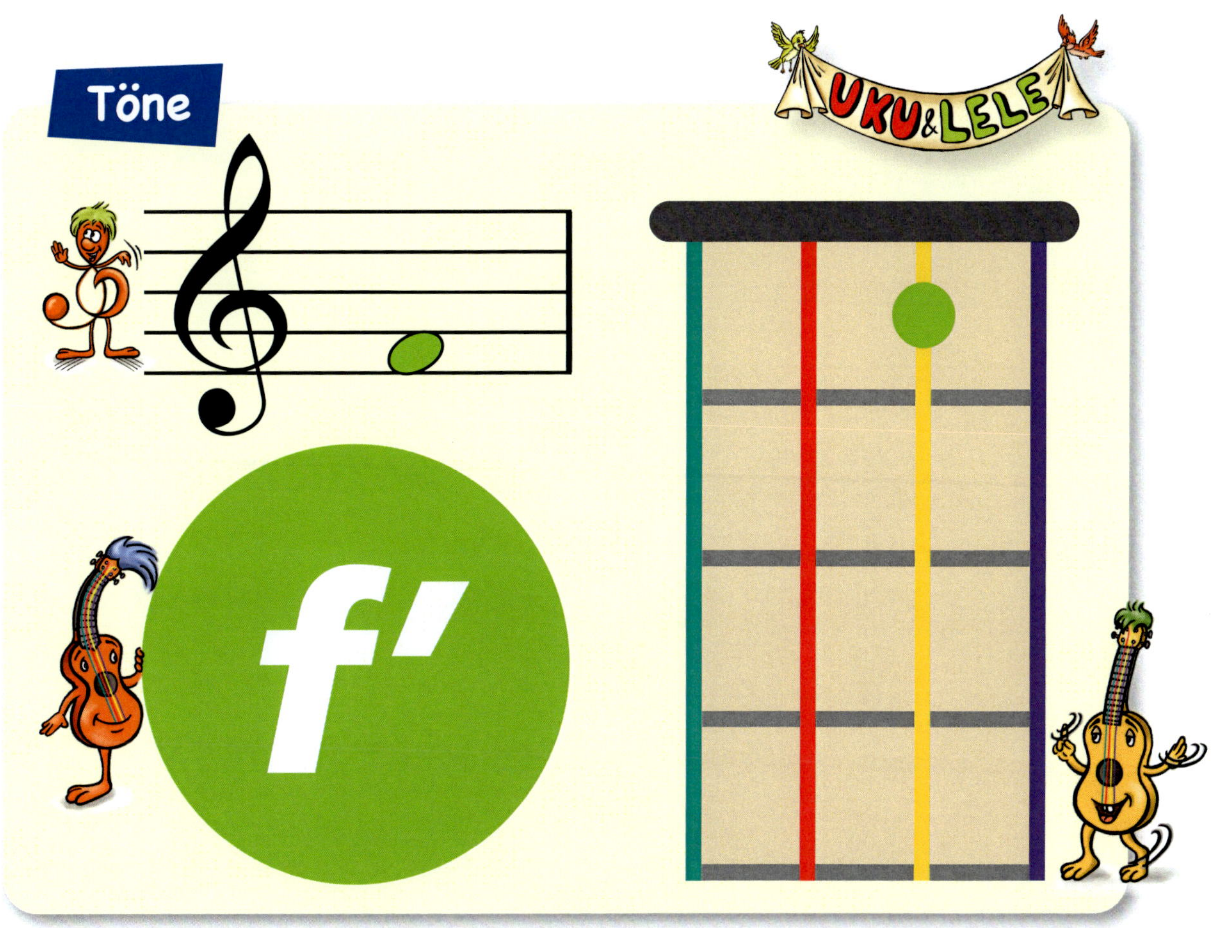
Töne
UKU&LELE
f′

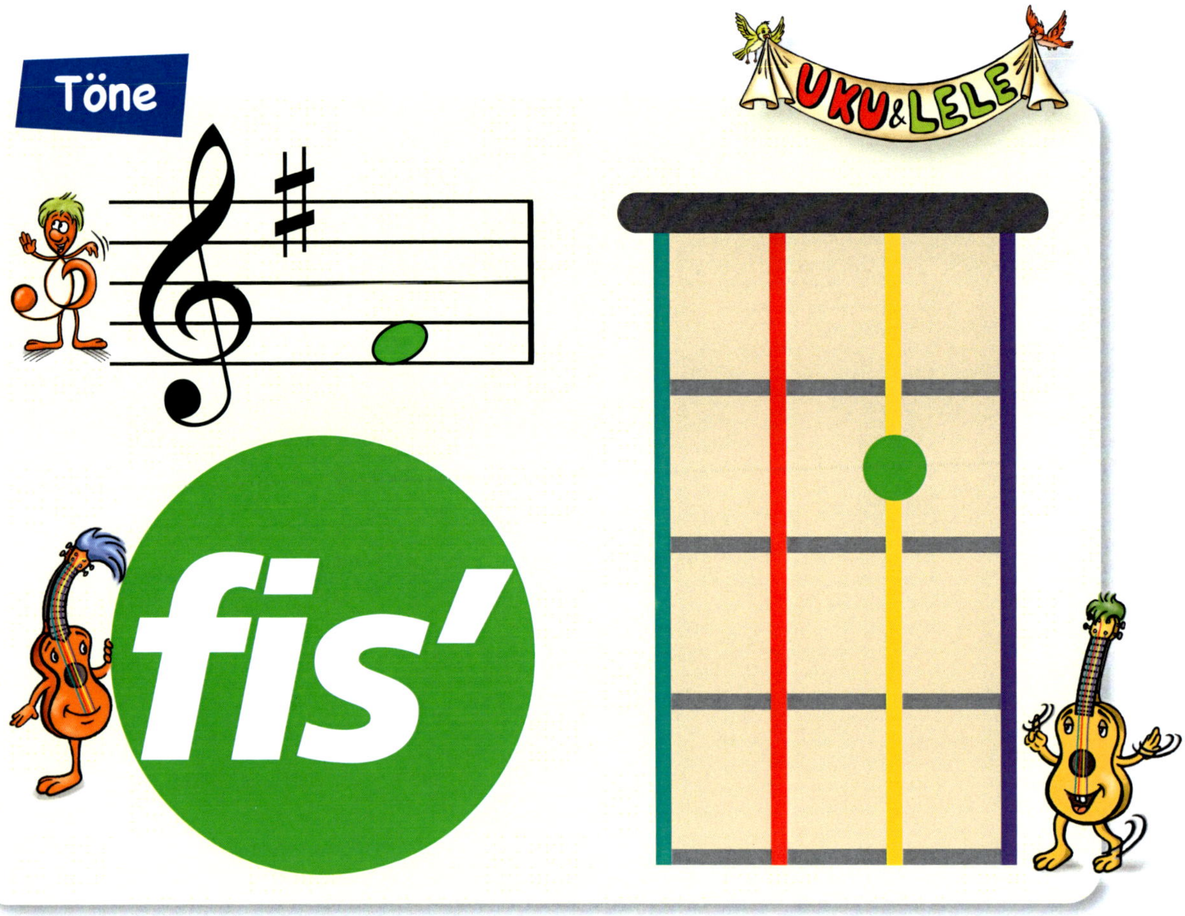
Töne
UKU&LELE
fis'

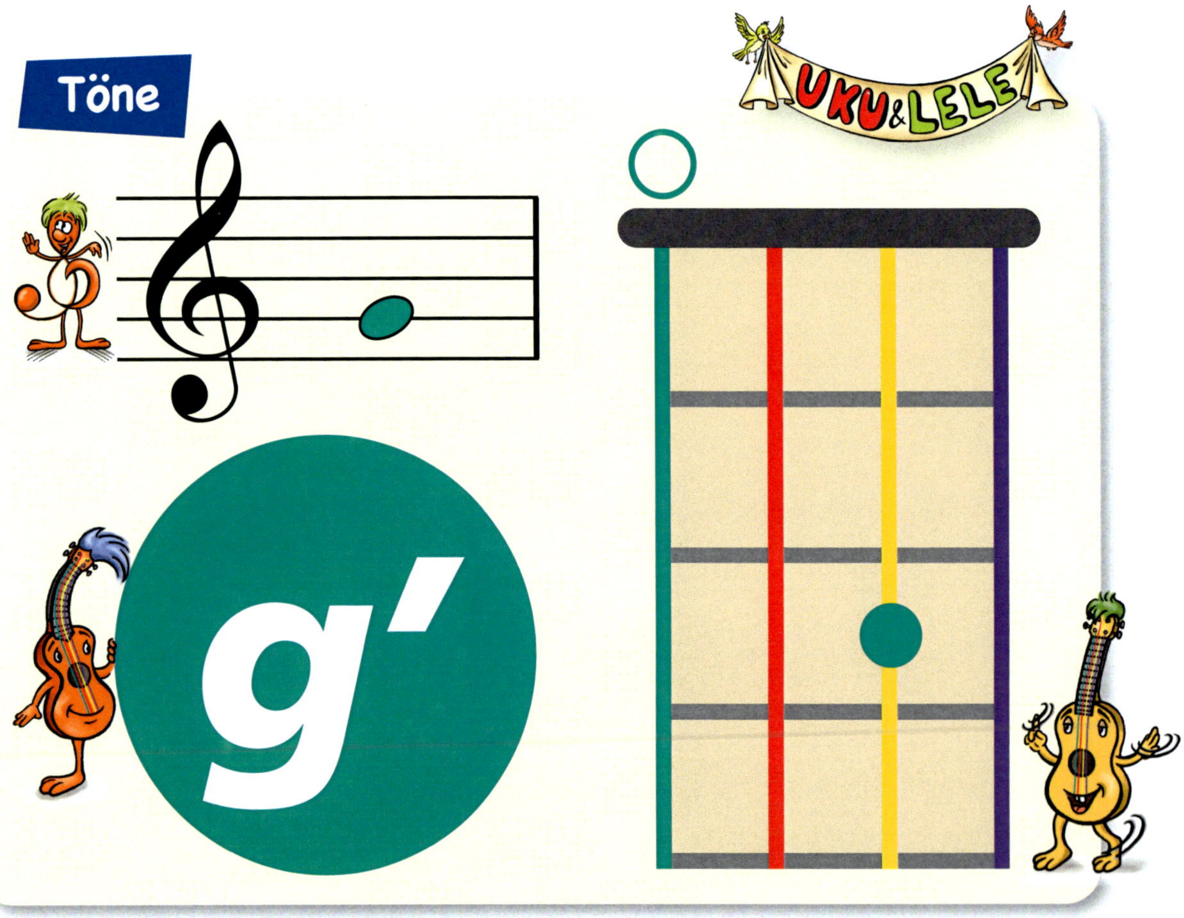
Töne
UKU&LELE
g'

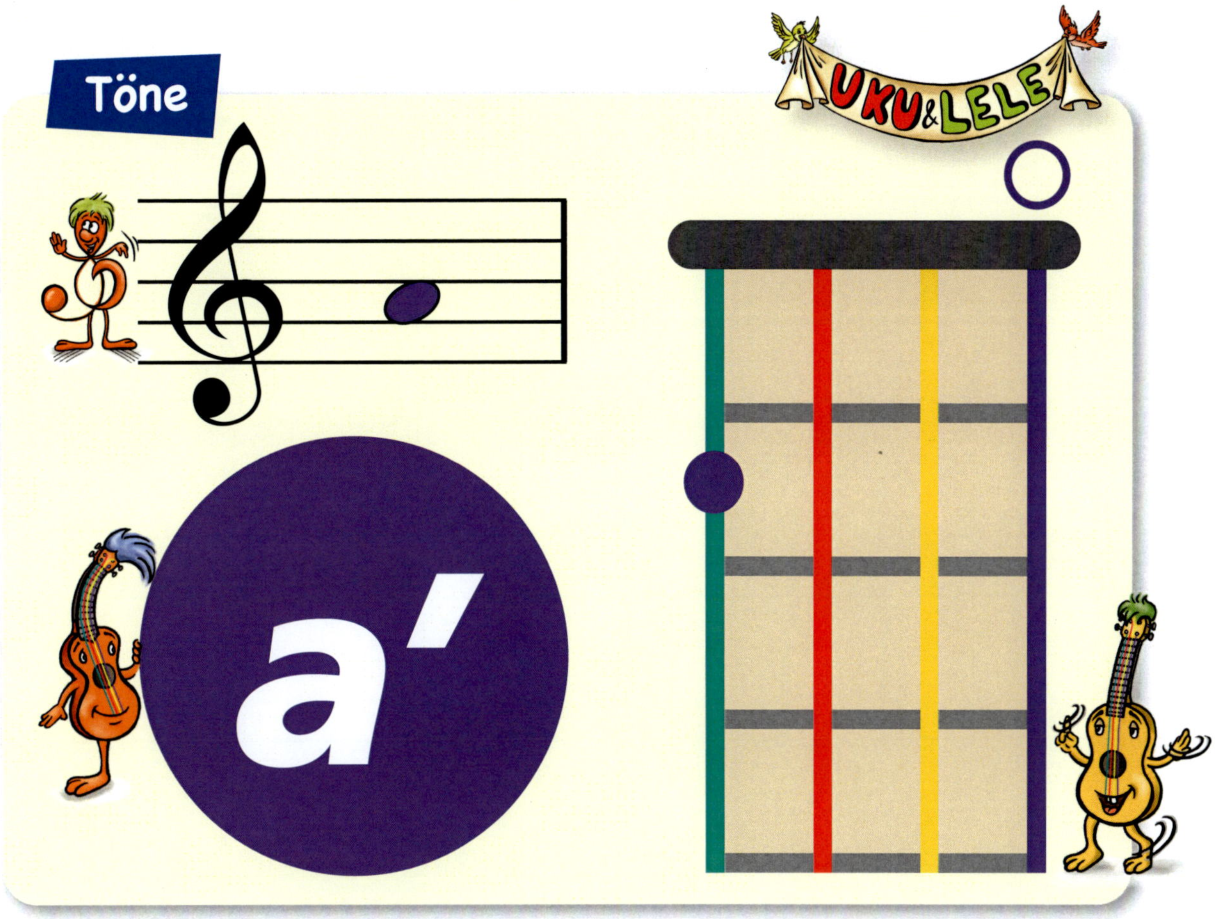
Töne
UKU&LELE
a´

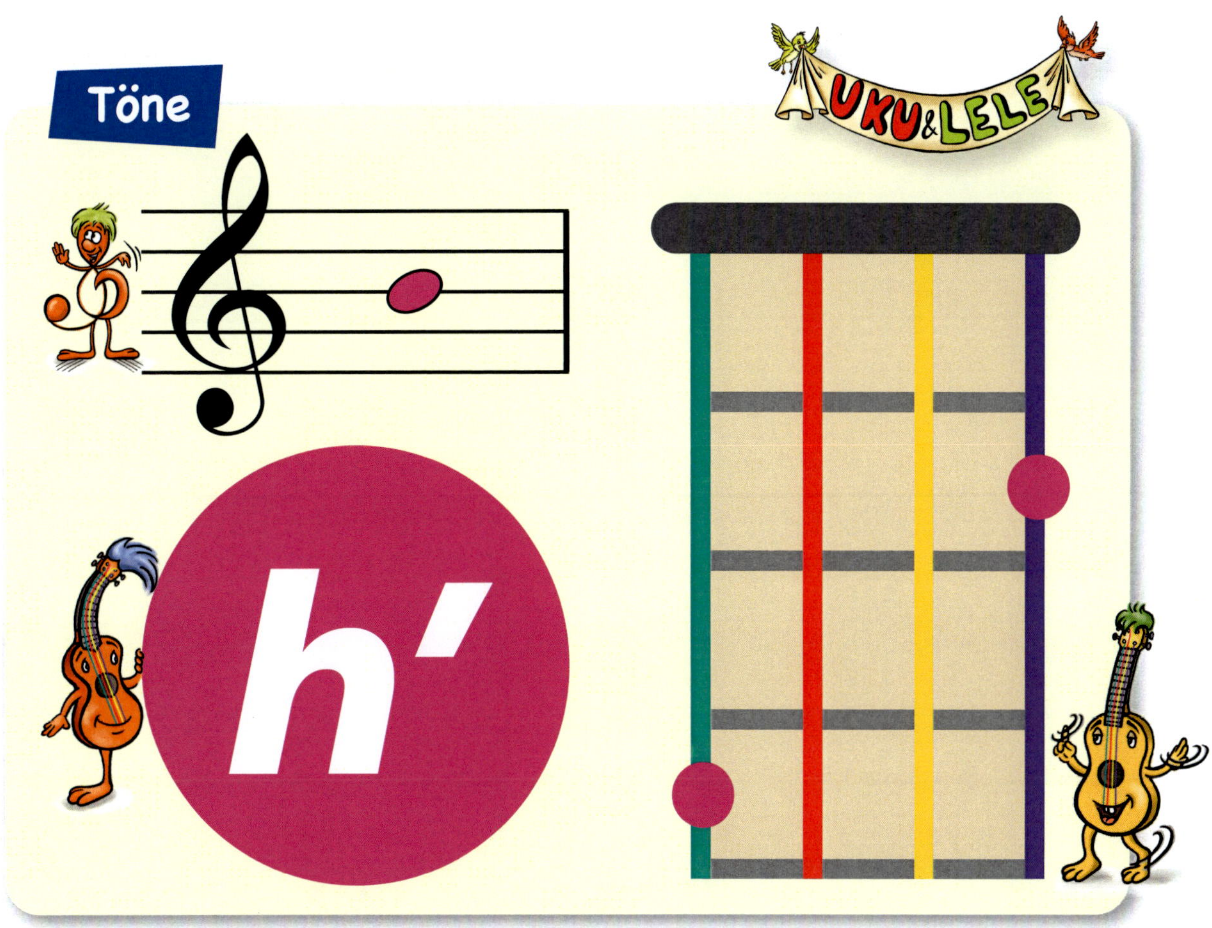
Töne
UKU&LELE
h´

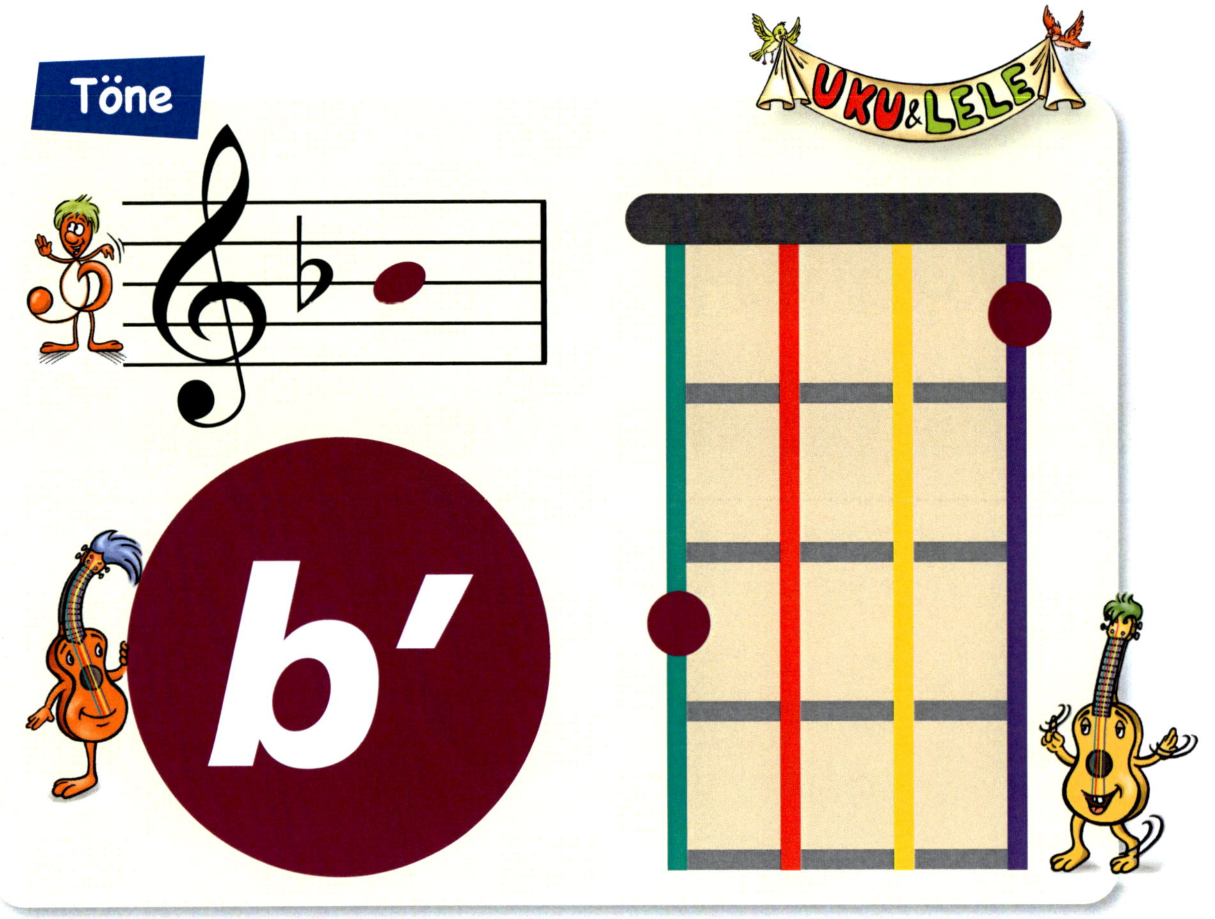
Töne
UKU&LELE
b′

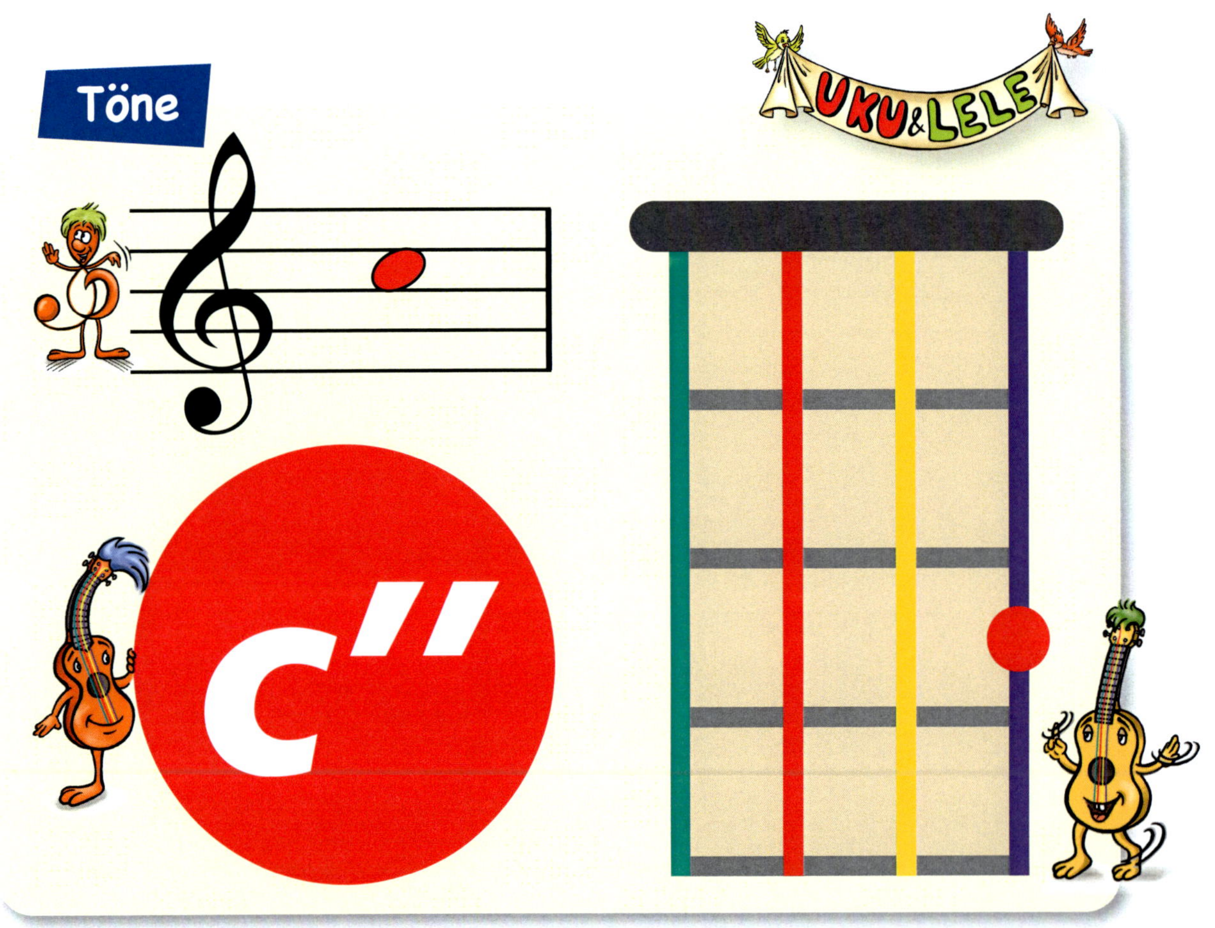
Töne
UKU&LELE
c″

Michael Fromm, UKU & LELE · Didaktischer Kommentar | © HELBLING

Akkorde

C

Akkorde

F

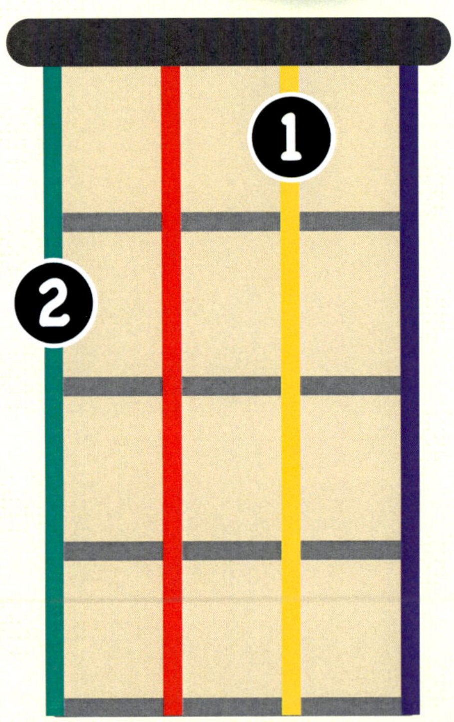

Akkorde
UKU&LELE
D
1
2
3

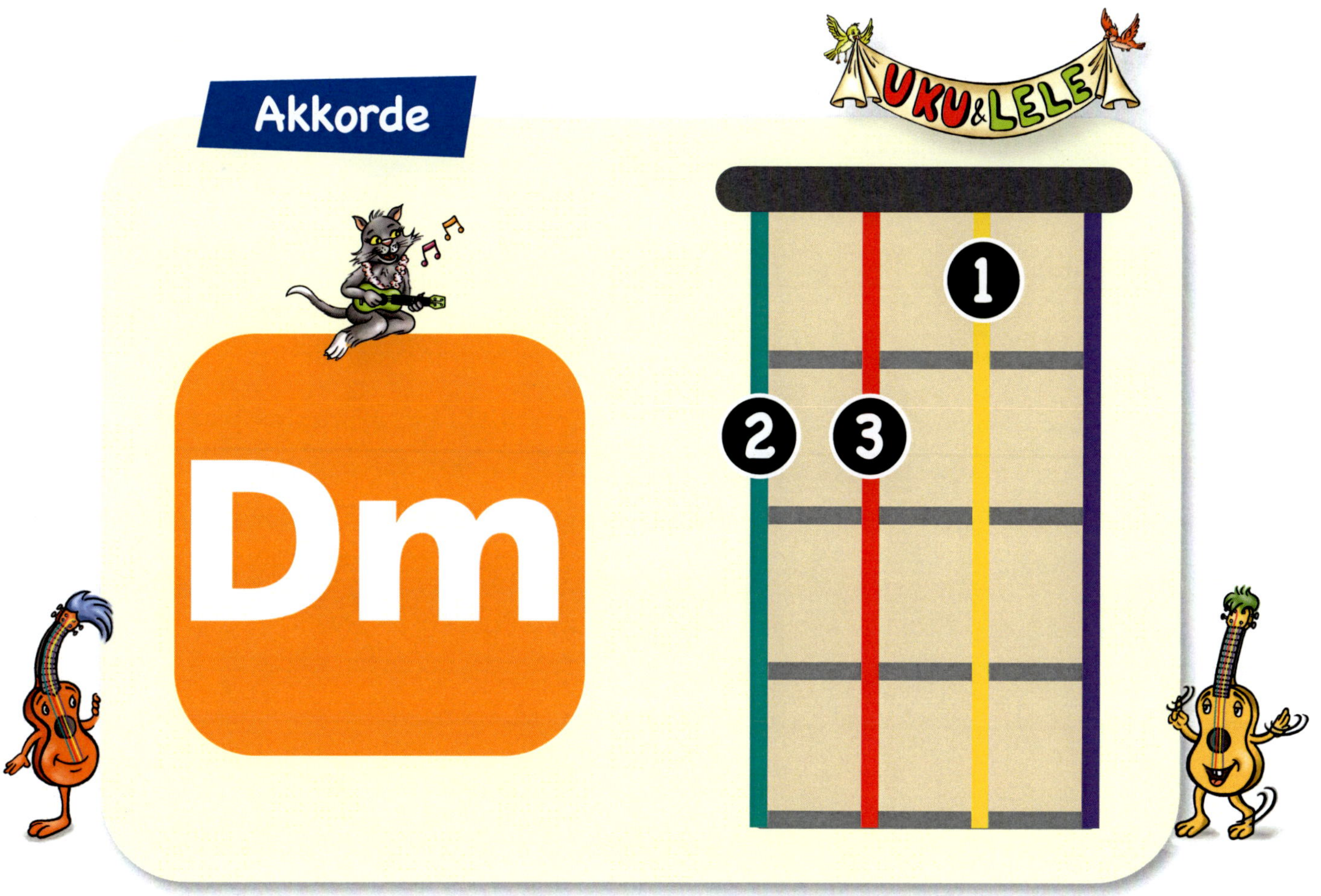
Akkorde
UKU&LELE
Dm
1
2
3

Akkorde

G

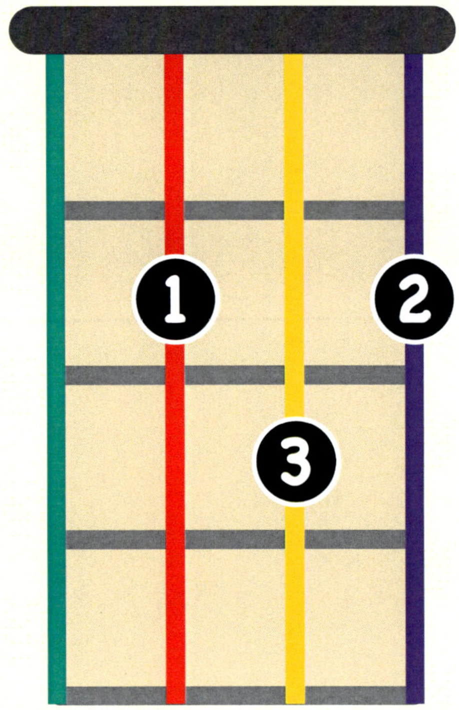

Akkorde

Gm

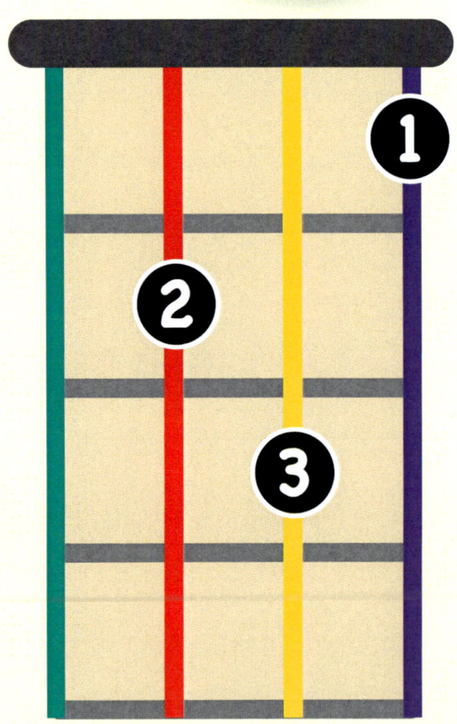

Akkorde

A

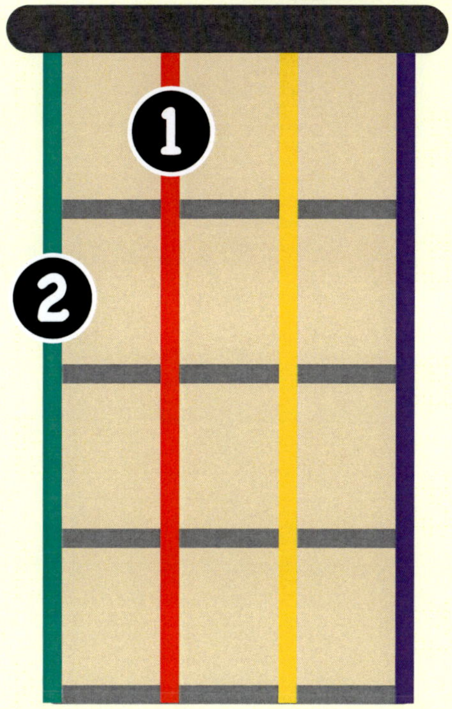

Akkorde

Am

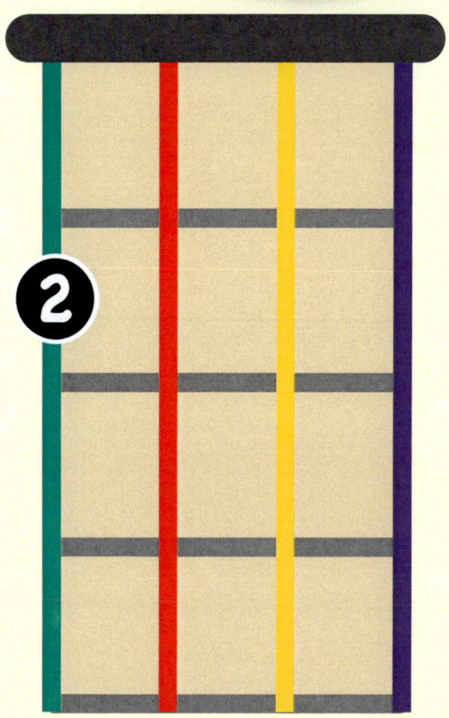

NOTIZEN